U0064606

劉福春・李怡 主編

民國文學珍稀文獻集成

第一輯

新詩舊集影印叢編　第10冊

【郭沫若卷】

瓶

上海：創造社出版部 1927 年 4 月版

郭沫若 著

前茅

上海：創造社出版部 1928 年 2 月版

郭沫若 著

恢復

上海：創造社出版部 1928 年 3 月版

郭沫若 著

花木蘭文化出版社

國家圖書館出版品預行編目資料

瓶／前茅／恢復／郭沫若 著 -- 初版 -- 新北市：花木蘭文化出版社，2016

〔民 105〕

96 面／72 面 ／86 面；19 ×26 公分

（民國文學珍稀文獻集成・第一輯・新詩舊集影印叢編 第 10 冊）

ISBN：978-986-404-622-5（套書精裝）

831.8 105002931

民國文學珍稀文獻集成・第一輯・新詩舊集影印叢編（1-50 冊）
第 10 冊

瓶
前茅
恢復

著 者 郭沫若
主 編 劉福春、李怡
企 劃 首都師範大學中國詩歌研究中心
北京師範大學民國歷史文化與文學研究中心
（臺灣）政治大學民國歷史文化與文學研究中心
總 編 輯 杜潔祥
副總編輯 楊嘉樂
編 輯 許郁翎
出 版 花木蘭文化出版社
社 長 高小娟
聯絡地址 235 新北市中和區中安街七二號十三樓
電話：02-2923-1455／傳眞：02-2923-1452
網 址 http://www.huamulan.tw 信箱 hml 810518@gmail.com
印 刷 普羅文化出版廣告事業
初 版 2016 年 4 月
定 價 第一輯 1-50 冊（精裝）新台幣 120,000 元

瓶

郭沫若 著

創造社出版部（上海）一九二七年四月一日初版。原書六十開。

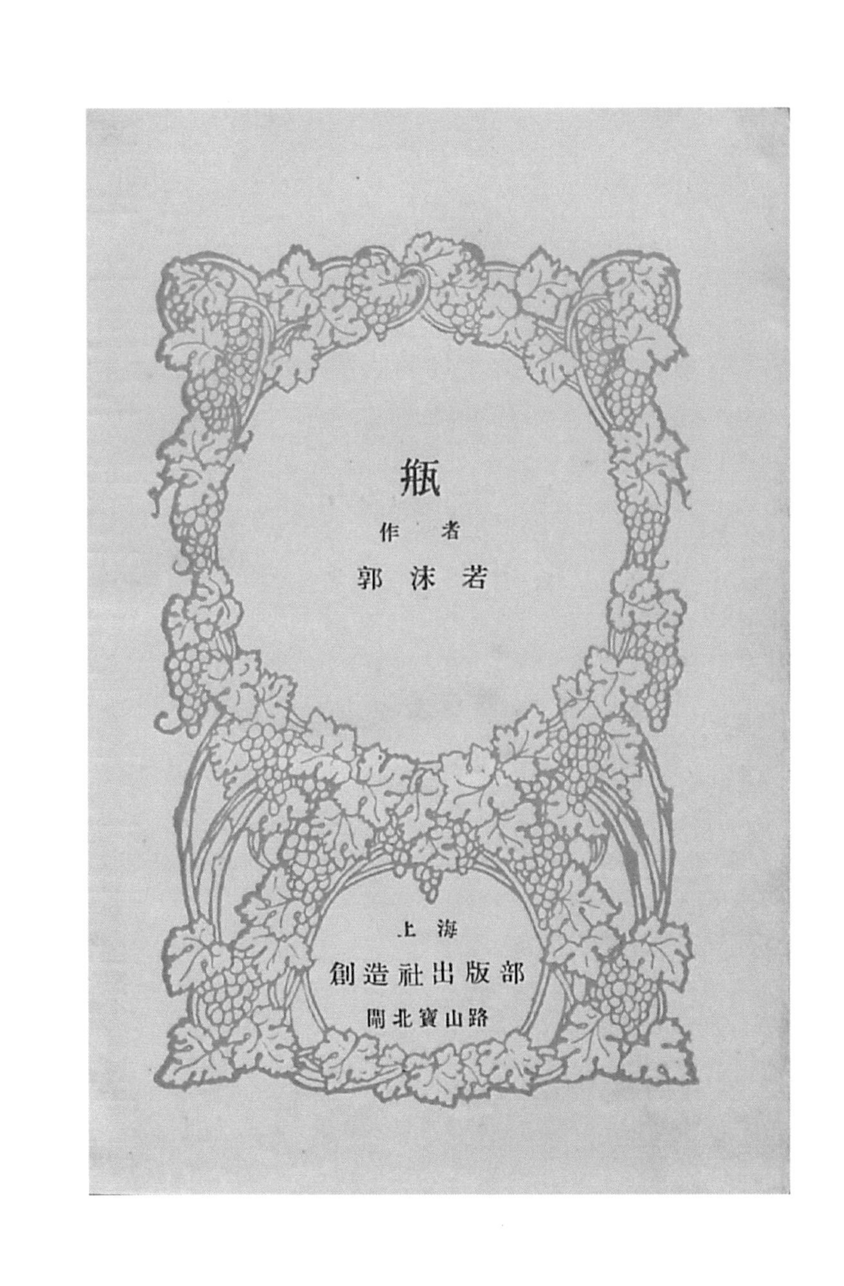
瓶
作　者
郭沫若
上海
創造社出版部
閘北寶山路

第一版 (1927, 4, 1,)

1——3000册

實價二角五分

瓶

* 瓶 *

獻　　詩

月影兒快要圓時，
春風吹來了一番花信。
我便踱往那西子湖邊，
汲取了清潔的湖水一瓶。

我攀折了你這枝梅花
虔誠地在瓶中供養，
我做了個巡禮的蜂兒
吮吸着你的清香。

啊，人如要說我癡迷，
我也有我的針刺。
試問人是誰不愛花，

〔 1 〕

* 瓶 *

他雖是學花無語。

我愛蘭也愛薔薇，
我愛詩也愛圖畫，
我如今又愛了梅花，
我於心有何懼怕？

梅花呀，我謝你幽情，
你帶回了我的青春。
我久已乾涸了的心泉
又從我化石的胸中飛迸。

我這個小小的瓶中
每日有淸泉灌注，

* 瓶 *

梅花喲，我深深祝你長存，

永遠的春風和煦。

〔3〕

* 瓶 *

第 一 首

靜靜地，靜靜地，閉着我的眼睛，
把她的模樣兒慢慢地記省——
她的髮辮上有一個琥珀的㩙針，
幾顆璀燦的鑽珠兒在那針上反映。

她的額沿上垂着有流海幾分，
總愛俯視的眼睛不肯十分看人。
她的臉色呀是白晰而豐潤，
可她那模樣兒呀，我總記不分明。

我們同立過放鶴亭畔的梅蔭，
我們又同飲過抱樸廬內的芳茗，
寶叔山上的崖石過於嶙峋，

* 淚 *

我還牽持過她那凝脂的手頸。

她披的是深藍色的絨線披巾，
幾次地牽掛着不易進行，
我還幻想過，那是些癡情的荒荊
扭着她，想和她常常親近。

啊，我怎麼總把她記不分明！
她那蜀錦的上衣，青羅的短裙，
碧綠的絨線鞋兒上着耳跟，
這些都還在我如鏡的腦中馳騁。

我們也同望過寶叔塔上的白雲，
白雲飛馳，好像是塔要傾崩，

〔 5 〕

* 涯 *

我還幻想過，在那寶叔山的山頂
會添出她和我的一座比翼的新坟。

啊，我怎麼總把她記不分明！
桔梗花色的絲襪後鼓出的脚脛，
那是怎樣地豐莀，柔韌，動人！
她說過，她能走八十里的路程。

我們又曾經在那日的黃昏時分，
渡往那白雲庵裏去叩問老人。
她得的是："雖有善者亦無如之何矣"，
我得的是："斯是陋室惟吾德馨"。

像這樣漫無意義的滑稽的籤文，

我也能一一地記得十分清醒,
啊,我怎麼總把她記不分明!
"明朝不再來了"——這是最後的鶯聲。

啊,好夢喲!你怎麼這般易醒?
你怎麼不永永地閉着我的眼睛?
世間上有沒有能夠圖夢的藝人?
能夠為我呀圖個畫圖,使她再生?

啊,不可憑依的喲,如生的夢境!
不可憑依的喲,如夢的人生!
一日的夢遊幻成了終天的幽恨,
只有這番的幽恨,嗳,最是分明!

* 流 *

第　二　首

姑娘喲，你遠隔河山的姑娘！
　　我今朝扣問了三次的信箱，
　一空，二空，三空，
　幾次都沒有你寄我的郵筒。

姑娘喲，你遠隔河山的姑娘！
　我今朝過度了三載的辰光。
　　一冬，二冬，三冬，
　我想向墓地裏呀哭訴悲風。

* 瓶 *

第 三 首

梅花，放鶴亭畔的梅花呀！
我雖然不是專有你的林和靖，
但我怎能禁制得不愛你呢？

梅花，放鶴亭畔的梅花呀！
我雖然不能移植你在庭園中，
但我怎能禁制得不愛你呢？

梅花，放鶴亭畔的梅花呀！
我雖明知你是不能愛我的，
但我怎能禁制得不愛你呢？

〔9〕

* 瓶 *

第　四　首

湖水是那麽澄淨，
梅影是那麽靜凝，
我的心旌呀，
你怎麽這般搖震？

我已枯槁了多少年辰，
我已訣別了我的青春，
我的心旌呀，
你怎麽這般搖震？

我是憑倚在孤山的水亭，
她是佇立在亭外的水濱，
我的心旌呀，
你怎麽這般搖震？

〔 10 〕

* 瓶 *

第 五 首

你是雕像麼?
你又怎能行步?

你不是雕像麼?
你怎麼又凝默無語?

啊啊,你個有生命的
泥塑的女祇!

* 瓶 *

第 六 首

向天邊墜了，
石向海底沉了，
信向她心殞了。

春雨灑上流沙，
輕煙散入雲霞，
沙彌禮讚菩薩。

是薔薇尚未抽芽？
是青梅已被葉遮？
是幽蘭自賞芳華？

有鴆不可遏飲，

* 瓶 *

有情不可遽冷，
有夢不可遽醒！

我望郵差加勤，
我望日脚加緊，
等到明天再等。

〔 13 〕

* 瓶 *

第七首

你是生了病麼？
你那豐滿的柔荑
怎麼會病到了不能寫字？

你是功課忙麼？
只消你寫出兩行，
也花不上一二分的辰光。

你是害着羞麼？
你若肯寫個信箭，
我也要當着聖經般供奉。

你是鄙夷我麼？

* 瓶 *

嘤，我果是受你輕鄙，

望你囘個信來駡我痴啈！

〔 15 〕

* 瓶 *

第八首

你默默地坐在我的身旁，
我顧慮着他們不好盼望。
你目不旁瞬地埋着頭兒，
你是不是也有幾分顧慮？

我的手雖藏在衣袖之中，
我的神魂已經把你抱擁。
我相信這不是甚麼犯罪，
白雲抱着月華何曾受毀？

* 瓶 *

第　九　首

我的眼睛在無人處瞥着你時，
我是在說：我愛你呀，妹妹！妹妹！
我看你呀也並沒有甚麼驚異。
你眼中迸出的答詞，也好像是：
哥哥喲，哥哥喲，我也愛你！愛你！

〔 17 〕

第十首

你手上的冰感呀，還留在我的手上，
你心上的冰感呀，又移到我的心上。
你雖是不關痛癢，我怎能不痛不癢？
你雖是不痛不癢，我怎能不關痛癢？

我已經等了八天，你總是不寫回信。
你眞冷眞冷眞冷，比這寒天的深夜還冷！
我如今跨着一個火盆，嘔着我的寸心，
我這將破未破的寸心，總在我胸中作梗！

啊，我只好等到明天，我又怕等到明天：
明天也沒有回信來時，那是多麼危險！
後天是星期，或者她是沒有空閑，
要到星期來時，她纔有寫信的時間？

* 瓶 *

第十一首

啊 她的信兒來了!
,我的心兒
好像有人拍着的
皮球兒般跳躍。

我在未開信前,
匆匆地
先把她郵筒兒上的名兒
親了半天。

啊,你郵筒口上的信膠!
她的芳唇
是曾經

〔 19 〕

* 涵 *

把你吻了!

啊,她說是:"因校中功課很忙,
要到星期
纔有空的時間呢,
要請先生原諒"。

啊,我有甚麼呀不能原諒?
你這玉緘一封
好像是騰黄飛下九重,
我要沒世地感恩不忘。

她說是:她平日讀我的文章,
早知道

* 瓶 *

我的學問很好，
以後的賜教還望常常。

啊，她那知
我在她的面前
(啊，腼腆！)
只是個無知的乞兒。

她說是：我到了西湖，
她眞眞覺着
幸福，
她願我能在西湖長住。

啊，這眞是道破了我的肺腑，

〔 21 〕

* 瓶 *

假使是我能長住
伴你讀書，
我願意死在西湖。

她教我春假時再來，
西湖裏
很美麗的花兒
那時候已經都開。

啊，春假喲，你快，快！
西湖裏
卽使沒有花兒，
我是怎得不來？

* 瓶 *

第十二首

默默地步入了中庭，
一痕的新月爪破黃昏。

還不是燕子飛來時候，
舊巢無主孕滿了春愁。

* 瓶 *

第十三首

啊，明珠暗投！
罷休，
我是不在呀她的心頭！

我求她立地回音，
她却是不肯遵守。
空空又等了一週！

啊，春風喲！
你縱有歸來時候，
爲甚要向我溫柔？

我身在半淞園，

* 瓶 *

心在西湖邊上羼走，
遨遊那破牢愁！

〔 25 〕

* 瓶 *

第十四首

北冰洋，北冰洋，
有多少冒險的靈魂
死在了你的心上！

* 瓶 *

第十五首

啊,我駡你無賴的郵差!
,爲甚只送些不打緊的信來?

哦,奇怪,無賴的郵差!
你偏偏在和我們鬭才!

你把她的信筒兒藏在報中,
空使我又飽受了一番心痛。

啊,我駡你個聰明的敗種,
你以後要好生鄭重!

〔27〕

第十六首

春 鶯 曲

姑娘呀，啊，姑娘，
你眞是慧心的姑娘！
你贈我的這枝梅花
這樣的暈紅呀，清香！

這清香怕不是梅花所有？
這清香怕吐自你的心頭？
這清香敵賽過百壺春酒。
這清香戰顫了我的詩喉。

啊，姑娘呀，你便是這花中魁首，
這朵朵的花上我看出你的靈眸。

* 瓶 *

我深深地吮吸着你的芳心，
我想——呀，但又不敢動口。

啊，姑娘呀，我是死也甘休，
我假如是要死的時候，
啊，我假如是要死的時候，
我要把這枝花吞進心頭！

在那時，啊，姑娘呀，
請把我運到你西湖邊上，
或者是葬在靈峯，
或者是放鶴亭旁。

在那時梅花在我的屍中

〔29〕

* 瓶 *

會結成五個梅子，

梅子再迸成梅林，

啊！我眞是永遠不死！

在那時，啊，姑娘呀，

你請提着琴來，

我要應着你淸繚的琴音，

盡量地把梅花亂開！

在那時，有識趣的春風，

把梅花吹集成一座花塚，

你便和你的提琴

永遠彈弄在我的花中。

* 瓶 *

在那時，遍宇都是幽香，
遍宇都是清響，
我們倆藏在暗中，
黃鶯兒飛來欣賞。

黃鶯兒唱着歡歌，
歌聲是讚揚你我，
我便在花中暗笑，
你便在琴上相和。

（鶯　之　歌）

"前幾年有位姑娘
興來時到靈峯去過；
靈峯上開滿了梅花，

〔 31 〕

* 瓶 *

她摘了花兒五朵。

她把花穿在針上，
寄給了一位詩人，
那詩人眞是癡心，
吞了花便丟了性命。

自從那詩人死後，
經過了幾度春秋，
他屍骸葬在靈峯，
又迸成--座梅籔。

那姑娘到了春來，
來到他墓前弔掃，

* 瓶 *

梅上已綴着花苞，
墓上還未生春草。

那姑娘站在墓前，
把提琴彈了幾聲。
剛好彈了幾聲，
梅花兒都已破綻。

清香在樹上飄颺，
琴絃在樹下鏗鏘，
忽然間一陣狂風，
不見了彈琴的姑娘。

風過後一片殘紅，

〔 33 〕

* 瓶 *

把孤坟化成了花塚，
不見了彈琴的姑娘，
琴却在塚中彈弄。"

(尾　聲)

啊，我眞個有那樣的時辰，
我此時便想死去，
你如能恕我的癡求，
你請快來呀收殮我的遺屍！

瓶

第十七首

我苦醉了終宵，我也苦睡了終宵，
無端地又牽惹了一天的煩惱——
啊，姑娘呀，不料你晨來却早！

見你面，便禁不着向你相告：
"啊，我昨宵是眞眞醉了！"
啊，你回答我的呀，那嫣然一笑！

我把行期改到了明朝，
專是爲的你呀，你知不知道？
我的癡心，嘤，實想在西湖終老。

月輪對着梅花有如淵的懷抱，

〔 35 〕

* 涵 *

欲訴,又礙着星星作擾。

如今是花信已遙,月也瘦了。

* 瓶 *

第十八首

我看她這回的來信
少稱了幾聲"先生",
啊,我可愛的呀,我的生命,
我謝你把我未當老人!

我雖然早生了十年,
我的青春縱去也還未遠;
去年開罷了的薔薇花
還得在今年再見。

我的花要永遠為你暢開,
我常住的青春已經再來,
我不稀罕他詩聖們的襟懷,

〔 37 〕

*　瓶　*

我也不嘆訴我的生淪苦海。

啊，我的生命呀，我的可愛，
我的心花要永遠為你暢開。
你少稱了我幾聲"先生"呀，
啊，我是喲，多麼愉快！

* 瓶 *

第十九首

我同時放出的傳書鴿子一雙，
雄的已經飛回，雌的却無影響。

她是在長途中遇着了鷹鵰?
還是誤飛到何處的荒島?

我遣她去取個夢的畫圖，
她可是在夢中迷了歸路?

噯，我安得她是她的哥哥，
他愛我，她却不肯愛我。

〔 39 〕

第二十首

有一封掛號的信件來了，
我以為是她的相片寄到，
啊，却原來有人請圖醉飽。
啊，我只好向我自己冷嘲。

接信時是那麼的呀心跳，
見信後又這般的呀無聊。
樂園在一瞬之間坍倒掉，
啊，我只好向我自己冷嘲。

第二十一首

我看她的來信呀，
有一個天大的轉徙：
前回是聲聲“先生”，
這回是聲聲“你”。

啊，“你”！啊，“你”啊，“你”！
這其中含蓄着多麼的親意！
只這點已經是令人心疼，
更何況還贈了梅花一枝！

我把她比成梅花，
寄遞了一首詩去，
她卻是贈我一枝梅花，

* 瓶 *

還問我歡不歡喜！

她說她喜歡我的新詩，
不知她是曾否會意？
她贈我的這枝梅花，
是花呀，還是她自己？

* 瓶 *

第二十二首

花的色已褪了，
梅花的香已微了，
我等她的第三函，
却至今還不見到。

郵差過了兩遍了，
送來了些東邦的時報，
這樣無聊的報章，
我有甚麼呀看的必要！

我每次私自開緘，
吮吸這梅花的香氣；
我怕這香氣消時，

* 瓶 *

我的心是已經焦死。

我翻讀些古人的戀詩，
都像我心中的話語，
我心中有話難言，
言出時又這般鄙俚！

啊，春風喲，你是那樣的芬菲，
你吹來隣舍的蘭香清微，
我却不能呀吹出一首好詩，
詠出她豐腴的靜美。

我畢竟是已到中年，
怎麼也難有欲滴的新鮮。

〔44〕

*　瓶　*

也難怪她不肯再寫信來，
翩飛的粉蝶兒誰向枯凋？

〔45〕

*　瓶　*

第二十三首

我又提心地等了半天，
時或在樓頭孤睡，
時或在室中盤旋。

她寫信是慣在星期，
今天是該信到時，
我的希望呀已經半死！

郵差已送了三封信來，
但她的却是不在，
這個啞謎兒眞費尋猜！

或許是掛號費時，

* 瓶 *

我還得平心地等到夜裏，
但這如年的辰光如何度去？

我讀書也沒有心腸，
那更有閑情去再做文章？
啊，你是苦殺了我呀，姑娘！

也難得你有那樣的冰心，
你的心怕比冰還堅冷。
駘蕩的春風喲，你是徒自芬溫！

我明知你是不會愛我，
但我也沒可奈何：
天牢中的死囚也有時唱唱情歌。

〔 47 〕

* 悵 *

像這樣風和日暖的辰光，
正好到郊原裏去狂傾春醲，
啊，我的四周呀，但已築就了險峻的高牆。

我的心機沉抑到了九泉，
連你信中的梅花也不敢再去啓驗，
牠那絲微的餘香太苦刺了我的心尖。

人生終是這樣的糊塗，
盼得春來，又要把春辜負，
啊，有酒，你爲甚總怕提壺？

偶爾有甚聲絲，
總疑是郵差又至，

* 瓶 *

我一刻要受千遍的詐欺。

我想來眞是癡愚，
等封信來又有甚麼意思？
啊，我也實在呀沒有法子！

〔 49 〕

第二十四首

春風喲，我謝你，謝你！
這無限的苦情
也是你給我的厚賜。
我坐看着這瓶裏的梅枝
漸漸地，漸漸地，向我枯死。

我到此還說甚麼，
這無限的苦情
我把牠在心頭緊鎖，
我也止住了我的哀歌，
要看牠究竟把我如何！

* 瓶 *

第二十五首

新鮮的葡萄酒漿
變成了一瓶苦汁,
姑娘喲,我謝你厚情,
這都是你賜我的。

人如要說我癡愚,
我眞是癡愚到底,
我在這曠莽的沙漠裏面,
想尋滴淸潔的泉漸。

我新種的一株薔薇,
嫩芽兒已漸漸瘦了,
別人家看見我的容顏,

〔 51 〕

* 瓶 *

都說是異常枯槁。

我是怎得呀不枯，不瘦？
我悶飲着這盈盈的一瓶苦酒。
啊，我這點無濄的生命喲，
怕已捱不到今年的初秋。

瓶

第二十六首

啊,是我自己呀把她誤解,
她是忙着試驗呀纔沒有信來。
她的來信這回是分外慈龍,
她的熱情微微像春風閃動。

她說是詩人最眞,
要像我才算是一個詩人。
她說是我年紀雖然大些,
但還是一個孩子。

她說是她望我做她哥哥,
她眞的要做我的妹妹;
啊,姑娘呀,你就做我的媽媽,

〔53〕

* 瓶 *

你也些兒無愧。

她樂意做司春的女神，
好完成我的新詩，
但她又謙遜一回，
說她是一點也不知道的女兒。

啊，女兒，妹妹，母親，
我想叫你呀千聲萬聲！
我眞是幸福到可以死了，
我的信還虧你爲我保存！

啊，我的心喲，你又在痛些甚麼？
你是不是因爲做了哥哥？

* 瓶 *

這哥哥却是有些難做呀,
你知道麽?不知道麽?

〔55〕

* 瓶 *

第二十七首

沉深的地獄化成了天堂，
我的妹妹喲，我的姑娘！
啊，晚風是這樣的清香，
無聲的音樂在空中盪漾，
歡笑笑滿了我的玻窗，
鄰舍的時鐘也發出悠揚的聲響。
啊，一瞬化爲了久長，
無限的哀情已不知逃向何方？
啊，姑娘喲，我的姑娘！
我的姑娘喲，我的女王！
沉深的地獄化成了天堂！

* 瓶 *

第二十八首

我憑依着南窗遠望，
西方的天際一抹斜陽，
那兒是薔薇花的故鄉，
那兒有金色的明星徜徉。

晚風喲，你是這樣的清涼，
少時頃你會吹到那西湖邊上，
你假如遇着了我那姑娘，
你請道我呀平安無恙。

〔 57 〕

* 瓶 *

第二十九首

我又等了呀許久，許久！
你說你無論怎麼事忙，
也要寫給我一行，兩行。
你怎麼又不肯遵守？

你是要等到夜深纔寫？
你是怕在人的面前，
使你的心情被人看見？
或者你還是要等到星期？

我心想到西湖的計畫，
我現在已决心拋棄，
我怕的是見了你時，

＊ 瓶 ＊

我們的心情反要破卦。

你贈我的梅花已經枯了，
我暗暗地生出了幾分哀想；
幸好有裊裊的餘香
到如今還未盡消。

啊，人是同這梅花一樣！
縱使是臨到春來，
又贏得一番的花開，
但我試問是誰能久長？

姑娘呀，你旣是我司春的女神，
爲甚又吝惜你的和風，

〔 59 〕

* 瓶 *

使我常常地被冰霜抱擁，
開不出繁茂的花英？

這無限的焦情向誰解道？
我盤日地翹望着遠方，
我翹望着我心愛的姑娘，
啊，我是怎能呀化隻飛鳥？

* 瓶 *

第三十首

我的心機是這般戰慄，
我感覺着我的追求是不可追求的。
我在和夸父一樣追逐太陽，
我在和李白一樣撈取月光，
我坐看着我的身心刻刻地淪亡。
啊，已經着了火的枯原呀，
不知要燃到幾時！
風是不息地狂吹，天又不雨，
已經着了火的枯原呀，
不知要燃到幾時！

〔 61 〕

第三十一首

我已成瘋狂的海洋，
她却是冷靜的月光：
她明明是在我的心中，
却高高掛在天上，
我不息地伸手抓拿，
却只生出些悲哀的空響。

＊ 瓶 ＊

第三十二首

看快到星期了，
寫信的好呢?不寫的好?
我想問她個理由：
爲甚要使我這般難受?
有人墮在海中了，
她却是旁觀袖手。
是春光爛縵的時候，
我想向海外逃走，
逃到那東邦的櫻花樹下，
喝盡我最後的一尊苦酒。
歌德的Seseneim，
我的西湖，
回想起寶叔山上的攀援，

〔 63 〕

* 瓶 *

好像是隔了千年的懷古。

啊,那時的幸福喲!

那時的歡娛!

第三十三首

缺還能復圓，
花謝還能復開，
已往的歡娛
永不再來。

她的手，我的手，
已經接觸久；
她的口，我的口，
幾時纔能夠？

第三十四首

我想從她的信中尋出一個字，
不是"喜歡"，也不是"樂意"；
啊，這個字！這個字！
這是天地萬物的開始！

這個字不待倉聖的造就，
也不用在字書裏去尋求，
這個字要如樹上的梅花，
自由地開出她的心頭。

這個字是蘇生我的靈符，
也會是射死我的弓弩，
我假如尋出了這個字時，
我會成爲個第二的耶穌。

* 瓶 *

第三十五首

得隴而望蜀，
我的靈魂喲，你是太不知足！
她已經叫你哥哥，
你還要教她怎麼？
啊，你怎麼這般隱痛喲，
我的心窩！

"哥哥喲，我寫信時，
便這樣叫你，
以後見你面時，
也要這樣叫你，
你說好不好呢？"

〔 67 〕

* 瓶 *

啊，好却又有甚麽不好，
只是在這個稱謂之中
總像是有些缺少。

"我很歡喜
眞的做了你的妹妹，
我也希望你
永遠地
把我看做你的妹妹。"

啊，姑娘喲，我豈止把你看做我的妹妹？
你的信已經成了我的靈魂，
我的靈魂已經爲你焦死，
你却只"眞的"做我的妹妹。

* 瓶 *

啊，眼淚喲，你又潛潛欲墜！

你何不倒向心流，

熄盡我胸中的焦火！

淹死我這個無謂的哥哥！

* [illegible] *

第三十六首

我請求她的照片，
她不肯應我的請求，
她教我等到將來，
她說她現在沒有。

她說她等到將來，
如有了好的照片，
她定要寄我一張，
永遠地做我紀念。

啊，有了又何必要"好"；
你教我等到將來，
是不是要等到天荒地老？

* 瓶 *

縱等到地老天荒我也不能忘懷，
你縱使是不愛我呀，
你總不能禁止我不把你愛！

* 瓶 *

第三十七首

她把我寫給她的信件
轉示了她的哥哥，
可笑的她的哥哥
却反轉說我幸福。

他說他純潔的妹妹，
原值得偉大的詩人讚美，
他許我以後自由，
他是決不呀從中作壘。

啊，你眞是好個哥哥，
但怎奈她不愛我？
我雖然也是一個詩人，

* 瓶 *

但怎奈不是偉大的一個?

我其實希望你從中作壘,
那是證明她已經開了心扉,
你縱築就道萬仞的高牆,
你却怎麼呀能把愛潮擋退!

啊,海水盪着地球,
地球是永遠不動!
波震着的我的心喲,
你是只有呀終天的永痛!

〔 73 〕

第三十八首

啊姑娘喲，我是愛你，
比愛我肉身的妹妹還要強烈，
你想來是早已知道，
你不會是不知道的。

但你總冷冷清清，
決不曾說到這件事來，
假如你明說是不愛我時，
也是有一個"愛"字存在。

啊，你何苦定要那樣牽延，
使我如油鍋上的螞蟻旋轉？
我望你大開你的心門，

* 瓶 *

你到底是敢也不敢？

我想你深邃的心中
斷不會只有一枝枯花，
我想你受着春風的愛種
斷不會永不抽芽。

你假如是全不愛我，
何苦又叫我哥哥？
你假如是有些愛我，
何苦又只叫哥哥？

像這樣半冷不溫，
實在是令人難受。

〔 75 〕

* 瓶 *

我與其喝碗豆漿，
我情願喝杯毒酒。

要冷你就冷如堅冰，
要熱你就熱到沸騰，
我縱橫是已經焦死，
你冰也冰不到我的寸心。

好罷，你究竟是甚麼心腸，
你請放着胆兒呀向我明講！
我是並不怕你說不愛我的，
你大胆地講罷，我的姑娘！

* 瓶 *

第三十九首

我羡你青年臉上的紅霞，
我羡你沉醉春風的桃花，
我怨你怪不容情的明鏡呀，
我見你便只好徒傷老大。

啊，我這眼畔的縐紋！
啊，我這臉上的灰青！
我昨天還好像是個少年，
却怎麼便到了這樣的頹齡！

啊，我假如再遲生幾時，
她或許會生她的愛意。
我與其聽她叫我哥哥，

〔 77 〕

* 瓶 *

我寧肯聽她叫我弟弟。

不可再來的青春喲，啊，
你已被吹到荒郊去了。
不肯容情的明鏡喲，啊，
你何苦定要向我冷嘲！

第 四 十 首

我自家掘就了一個深坑，
我自家走到這坑底橫陳；
我把了些砂石來自行掩埋，
我那知有人來在我屍頭踩躪。

他剝去了我身上的一件屍衣，
他穿去會我那殺死我的愛人，
我待癒的心傷又被春風吹破，
我冰冷冷地睡在墓中痛醒。

瓶

第四十一首

空剩着你贈我的殘花一枝，
我掩護在我的心頭已經枯死。
到如今我纔知你贈花的原由，
却原來纔是你贈我的奠禮。

* 瓶 *

第四十二首

昨夜裏臨到了黎明時分，
我看見她最後的一封信來，
那信裏夾着有許多的空行，
我讀時感覺着異常驚怪。

她說道："哥哥喲，你在……
啊，其實呀，我也是在……
我所以總不肯說出口來，
是因爲我深怕使你悲哀。

到如今你旣是那麼煩惱，
哥哥喲，我不妨直率地對你相告：
我今後是已經矢志獨身，

這是我對你的唯一的酬報……"

啊，可惜我還不曾把信看完，
意外的歡娛驚啓了我的夢眼；
我醒來向我的四周看時，
一個破了的花瓶倒在墓前。

附　　記

我們看過他的文藝論集序文的人，大概都該知道，沫若近來的思想劇變了。

這抒情詩四十二首，還是去年的作品。他本來不願意發表，是我們硬把牠們拿來發表的。

我想詩人的社會化也不要緊，不一定要詩裏有手鎗炸彈，連寫幾百個革命革命的字樣，纔能配得上稱眞正的革命詩。把你眞正的感情，無掩飾地吐露出來，把你的同火山似的熱情噴發出來，使讀你的詩的人，也一樣的可以和你悲啼喜笑，才是詩人的

〔 83 〕

天職。革命事業的勃發，也貴在有這一點熱情。這一點熱情的培養，要賴柔美聖潔的女性的愛。推而廣之可以燒落專制帝王的宮殿，可以搗毀白斯底兒的囚獄。

南歐的丹農雪奧，作純粹抒情詩時，是象牙塔裏的夢者，挺身入世，可以作飛艇上的戰士。中古有一位但丁，追放在外，不妨對故國的專制，施以熱烈的攻擊，然而作抒情詩時，正應該望理想中的皮阿曲利斯而遙拜。我說沫若，你可以不必自羞你思想的矛盾，詩人本來是有兩重人格的。況且這過去的感情的痕跡，把牠們再現出來，也未始不可以做一個紀念。

十五年三月十日達夫

前茅

郭沫若 著

創造社出版部（上海）一九二八年二月十日初版。原書五十開。

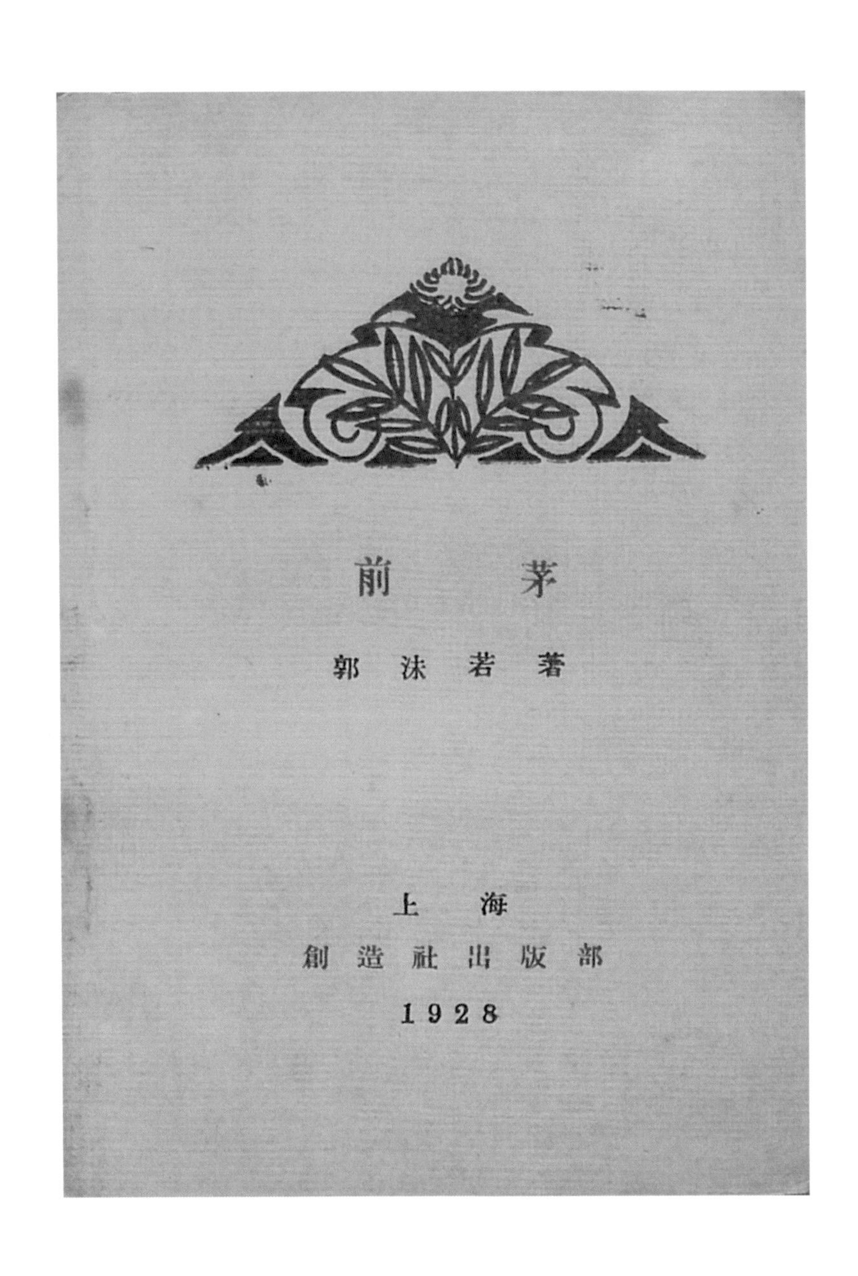

前　　茅

郭沫若著

上　海

創造社出版部

1928

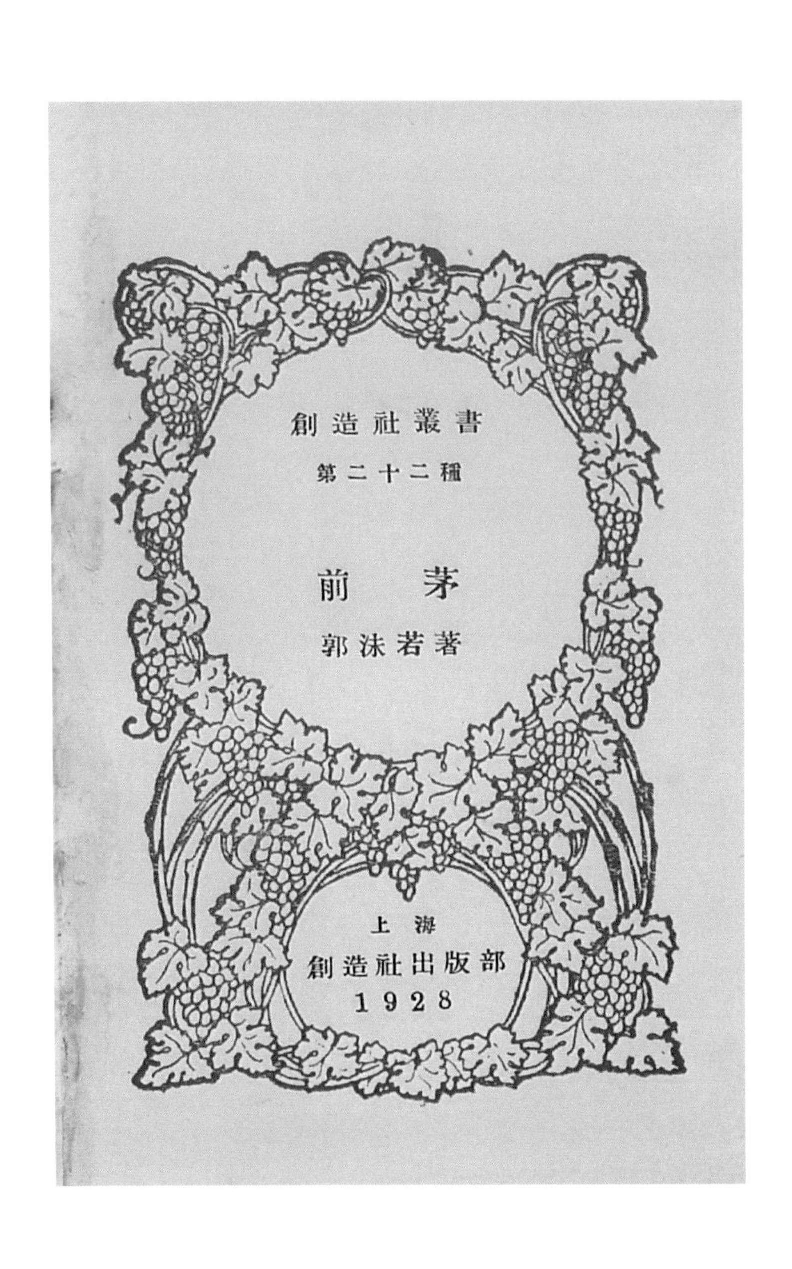
創造社叢書

第二十二種

前　茅

郭沫若著

上海

創造社出版部

1928

目　次

前茅(序詩)	1
黃河與揚子江對話	1
留別日本	12
上海的清晨	16
勵失業的友人	18
力的追求者	19
朋友們愴聚在囚牢裏	21
愴惱的葡萄	23
歌笑在富兒們的園裏	25
黑蛾蛾的文字窟中	27
我們在赤光之中相見	30
太陽沒了	32
前進曲	35
暴虎辭	39
哀時古調九首	49

前　茅

1928 1 15 付排

1928 2 10 初版

1——3000冊

每冊實價大洋三角

序　詩

這幾首詩或許未免粗暴，

這可以說是革命時代的前茅。

這是我五六年前的聲音，

這是我五六年前的喊叫。

在當時是應者寥寥，

還聽着許多冷落的嘲笑。

但我現在可以大胆的宣言：

我的友人是已經不少。

(11，I，1928)

黃河與揚子江對話

黃河與揚子江流貫了中華之後，同會於
　　黃海。
他們最近在黃海的中央彼此談起話來。

(黃) 揚兄弟，久違了呢。

(揚) 哦，黃兄，你也到了這兒嗎？我們眞的久違了呢；我們自從崑崙山下一別後，你取道北邊，我取道南邊，我們沒想出在這兒再會。

(黃) 啊，說起來眞痛心極了。你不知道住在北邊的人好苦。我自從通過了黃土之後，便帶了一身血水出來。他們這幾年來無一天不在流血。他們頭上頂着些甚麽"毒

〔1〕

菌”，更還有許多數不淸的甚麼“菌隊“。這些“毒菌”和“菌隊”無日無夜都在毒殺他們，他們的血液流得遍地都是；連我也被他們的血液充滿了。啊，我眞哀憐他們。

(揚) 唉，黃兄，南邊又不是一樣嗎？你看，我的一身不也是血液嗎？我流到四川的時候，還受過些人們的眼淚，他們的血液是被本身的“毒菌”和外來的“菌隊”吸完了，他們只剩得些淸淡的眼淚在流。我流出四川來，洞庭湖送我一灘血水，鄱陽湖也送我一灘血水，沿途都是血水流來，我的一身都弄得血腥臭了。那些“菌隊”和“菌隊”們爲爭食人肉分贓不平，他們在人頭

前　　茅

上打起戰來眞是厲害，死的人眞是不少！
你不看我帶了許多屍骸出來了嗎？

(黃)　唉，我才沒想出，"赤縣"的命名就是這樣的意義！我聽說，古時候這中國叫做"赤縣"。原來就是流血不斷的，一片被血染紅了的土地呀！中國的歷史是一部流血的歷史。自我看見他有歷史以來，他的血的確是沒有流斷過，他這"赤縣"的名稱眞是適合呀！

(褐)　住在這中國的人民古時候也曾繁榮過一時。他們出過些偉大的思想家，偉大的藝術家。這些人費盡了不少的心血在中國的歷史上開過一片鮮紅的花來；所以這一片的大陸才叫做"中華"，又才叫做"赤

〔3〕

縣”。可憐到了現在，花是凋謝了，只成了一片膿血的世界！可憐，可憐，可憐那一大族的人民才爲么魔的“毒菌”們所擾！我不知道他們有手有力，爲甚麼不把那頭上的細菌們掃去？

（黃）我想來也是他們自己討得的。他們好像把他們古代的思想誤解了，或者是受了些囫圇吞外國的思想不能消化的毒。他們古人叫人“非戰”，這是叫人反對那不義的戰爭，他們竟連對於惡魔的義戰也要反對了。他們古人高唱過“愛的哲學”，這是只限於人類愛而言，他們竟把牠擴展到愛害蟲愛惡魔的上面去了。他們見了蛇是不敢打的，還有的把牠當成菩薩。他

前　　茅

們是蚊蚋蒼蠅臭蟲蚤虱的好朋友，他們是不想根本除絕這些好朋友的。他們的禾稼只好任蝗蟲糟蹋。他們生了病，只好向菩薩求憐・・・

(揚) 你還不曾知道，近來還出了一羣畸形兒。他們怕見流血，他們怕採取直接行動去驅除那些"毒菌"，他們竟向那"毒菌"求憐，希望牠生出些人心來呢！

(黃) 啊，他們的毒還沒有受夠！

(揚) 他們在人們頭上替"毒菌"做培養基。他們叫人們向"毒菌"去叩頭，求牠把"菌隊"減少一點，毒素減少一點。這些畸形兒眞比那泥塑木雕的菩薩還要險惡：他們不知道把人們殺菌的力量減弱了多

[5]

少！他們這些畸形兒都是爲虎作倀的大害蟲，這是一定要除掉才行的！據我想來，他們人們要想多活些年辰，而且是幸福的年辰，要想自己的兒孫過些幸福的生活，他們是非大流血一次不可！他們硬要施行大手術犧牲一切和"毒菌"們作戰，硬要用劇烈的消毒藥把那"菌隊"們掃除得乾乾淨淨，然後才有希望！不消說一切姑息的手段，一切求神拜佛的行爲，一切求端工信符咒的迷信，都非掃蕩不可！就是一切欺人騙人的偶像，談鬼話的男巫女巫，都要消毀得個乾乾淨淨，不許他們有一些兒的根蒂留存！黃兄，你覺得我的話怎麽樣？

前　　茅

(黃) 揚兄弟，你是不錯。我年紀老了，只是哀憐他們。你是比我年青得多，你能替他們想出個方法來解救。我看，我們兩個還是到人間去宣傳一下罷？

(揚) 這是當然的。我們現在也只好做到這一點。我們向他們宣傳，叫他們由內發作，叫他們取直接的自由行動。我們把他們夠迷夢喚醒了，再看今後的世界如何。

他們把話談完了之後，合爲一體；把一半的合體化爲蒸氣飛向太空。

他們用間接的暗示來提醒人們。

他們用直接的聲音來喚醒人們。

他們化成雪，化成雹，飛打下來；這是暗

示人們說:"你們快造些榴彈散來打
在"毒菌"們的頭來!"
他們泛成浮雲,激成電光;這是暗示人們
說:"你們快如陳涉吳廣一樣揭竿爲
旗,叢祠篝火,直接和"毒菌"們作
戰!"
他們又鼓盪出雷聲,直接喚醒人們:"動
喲!直接行動!動……"
大風也在替他們聲援,放開喉嗓,在人們
頭上叫道:"殺!殺!殺!……"
他們見人們不動又流起眼淚,降下滂沱
大雨來哭醒他們。
不久之間人們總有自動的勢子要起了。

前　　茅

其餘的一半在浩莽莽的大黃海中，無日
　　無夜，鼓盪出一片澎湃的歌聲。
那歌聲沿着黃河揚子江而上，又順流而
　　下；
更沿着黃河揚子江的一切支流而上，又
　　順流而下；
就這樣，那澎湃的歌聲傳遍了中國：

"人們喲，醒！醒！醒！
你們非如北美獨立戰爭一樣，
自行獨立，拒稅抗糧；
你們非如法蘭西大革命一樣，
男女老幼各取直接行動，
把一大羣的路易十六弄到斷頭台

上；

你們非如俄羅斯無產專政一樣，

把一切的陳根舊蒂和盤推翻，

另外在人類史上吐放一片新光；

人們喲，中華大陸的人們喲！

你們是永遠沒有翻身的希望！

“人們喲，醒！醒！醒！

已往的美與法——是十八世紀的兩
　　大革命，

新興的俄與中——是二十世紀的兩
　　大革命。

二十世紀的中華民族大革命喲，

快起！起！起！

前　　茅

快在這二十世紀的世界舞台上別演
　　一場新劇!
人們喲,沒用永在淚谷之中欷歔!
你們把人權恢復了之後,
人類解放的使命,世界統一的使命,
要望你們二十世紀的兩個新星雙肩
　　並舉!
人們喲,起!起!起!"

(12,XII,1922於日本)

[11]

留別日本

I.

十年的有期徒刑已滿，
在這櫻花爛縵的時候，
我要向我的故國飛還。
邪馬台的兄弟們喲！
我如今要離別你們，
我也是不無喟嘆。

II.

你們島國的風光誠然鮮明，
你們島國的女兒誠然誠懇，
你們物質的進步誠然驚人，
你們日常的生涯誠然平穩；

前　　茅

但是呀，你們，無產者的你們！
你們是受着了永遠的監禁！

III.

新式的一座文明監獄喲！
前門是森嚴的黑鐵造成，
後庭是燦爛的黃金照眼。
無期徒刑囚的看守人
——文人，學者，教徒，藝術家・・・
住的是白骨砌成的象牙宮殿。

IV.

雖然有有爲之人想破獄而逃，
但可憐四方的監牆太高，

〔18〕

前後有猙獰的惡犬守門，
更比那山中的虎狼殘暴；
你們竟連說話都不大聲，
大了，你們便要地塗肝腦。

V.

可憐呀，邪馬台的兄弟！
我的故鄉雖然也是一座監牢，
但我們有五百萬的鐵槌，
有三萬二千萬的鐮刀。
我們有一朝爆發了起來，
不難把這座世界的鐵牢打倒。

VI.

前　　茅

永別呀，邪馬台的兄弟，
我十年的有期徒刑已滿，
我要向我的故國飛去。
我看着那一片片的櫻花亂飛，
好像是你們的血汗如雨，
永別呀，邪馬台的兄弟！

(1,IV,1923)

[15]

上海的清晨

上海市上的清晨
還不曾被窒息的 gasoline 毒盡。
我赤着脚，蓬着頭，叉着我的兩手，
在馬道旁的樹蔭下傲慢地行走，
赴工的男女工人們分外和我相親。

兄弟們喲，我們路是定了！
坐汽車的富兒們在中道驅馳，
伸手求食的乞兒們在路旁徙倚。
我們把伸着的手兒互相緊握罷！
我們的赤脚可以登山，可以下田，
自然的道路可以任隨我們走遍！
富兒們的汽車只能在馬道之上盤旋。

前　　茅

馬道上，面的不是水門汀，
面的是勞苦人的血汗與生命!
血慘慘的生命呀，血慘慘的生命
在富兒們的汽車輪下・・・滾，滾，滾，・・・
兄弟們喲，我相信就在這靜安寺路的馬道中
　　央，
終會有劇烈的火山爆噴!

(?,IV,1923)

〔17〕

勵失業的友人

朋友喲，我們不用悲哀！不用悲哀！
打破這萬惡的魔宮正該我們担戴！

在這資本制度之下職業是於人何有？
只不過套上一個頸圈替那些資本家們做狗！

朋友喲，我們正當得慶幸我們身是自由！
我們正當得慶幸我們身是自由喲，朋友！

我們的猛力縱使打不破這萬惡的魔宮，
到那首陽山的路程也正好攜着手兒同走！

朋友喲，我們不用悲哀！不用悲哀！
從今後振作精神誓把這萬惡的魔宮打壞！

(?,V,1923)

力 的 追 求 者

別了，低回的情趣！
別要再來纏繞我白熱的心曦！
你個可憐的撲燈蛾，
你當得立地燒死！

別了，虛無的幻美！
別要再來私扣我鐵石的心扉！
你個可憐的賣笑娘，
請去嫁給商人去者！

別了，否定的精神！
別了，纖巧的花針！
我要左手拿着可蘭經，

〔19〕

右手拿着劍刀一柄！

(27,V,1923)

朋友們愴聚在囚牢裏

朋友們愴聚在囚牢裏——
像這上海市上的賃家
不是一些囚牢嗎？
我們看不見一株青影，
我們聽不見一句鳥聲，
四圍的監牆
把清風鎖在天上，
只剩有井大的天影笑人。

朋友們愴聚在囚牢裏——
像我們這樣的生涯
不是一些囚徒嗎？
我們囚在迷茫的霧中，

[21]

前　　茅

我們囚在慘毒的魔宮，
金色的魔王
坐在我們的頭上，
我們是呀動也不敢一動。

啊啊，
我們是呀動也不敢一動！
我們到兵間去罷！
我們到民間去罷！
朋友喲，愴痛是無用，
多言也是無用！

(27，V，1923)

愴懷的薔薇

青青的田疇之中
圍住了一座荒墳——
詩人喲，別再右眼觀賞風光，
左手蒙住你左邊的眼睛。

娟妍的薔薇花下
施肥的糞中蛆湧——
詩人喲，別再右鼻吮吸芬芳，
左手蒙住你左邊的鼻孔。

矛盾萬端的自然，
我如今不再迷戀你的冷臉。
人間世的難療的愴惱，

前　　茅

將爲我今日後釀酒的葡萄。

(27.V.1923)

歌笑在富兒們的園裏

歌笑在富兒們的園裏，
那小鳥兒們的歌笑。
啊，我願意有一把刀，
我要割斷你們的頭腦。

歌笑在富兒們的園裏，
那花木們的歌笑。
啊，我願意有一把刀，
我要割斷你們的根苗。

你厚顏無恥的自然喲，
你只在諂媚富豪！
我從前對於你的讚美，

〔25〕

我如今要一概取消。

(27, V, 1923)

黑蜮蜮的文字窟中

朋友說:沒有一點價值的書
値不得排字的工人如此受苦!
著作家喲,你們要知道這句話的精神,
請到排字房裏去坐個二三十分!

黑蜮蜮的文字窟中
一羣蒼白的黑影蠕動,
都是些十二三四的年輕兄弟!
他們的臉色就像那黑鉛印在白紙。

這兒的確莫有詩,
的確莫有値得詩人留戀的美,
有的是——的確是'死'!

〔27〕

的確是中鉛毒而死的未來的新鬼！

——朋友喲，這兒有首'詩'喲！
高貴的詩人抒寫着高貴的情緒，
而且形式是新鮮，學的是東方的俳句。
明朝這首'詩'出世時，
詩人的名譽可以無翼而飛；
排字的工人値得中毒而死！

——"一將功成萬骨枯"，
何只是指說那將軍幕府！
可憐的兄弟們喲，請你們容恕我罷！
便是我這首不成其爲詩的詩，
也要促進你們早遲是該死的死！

前　　茅

我這點沒有價值的淚珠
不敢作爲你們容恕我的謝禮，
我明天還要來陪伴你們，
要死我們便一齊同死！

(9,VI,1923)

[29]

我們在赤光之中相見

長夜縱使漫漫，
　終有時辰會旦；
焦灼的群星之眼喲，
　你們不會望穿。

在這黑暗如漆之中
　太陽依舊在轉徙，
他在砥礪他犀利的金箭
　要把天魔射死。

太陽雖只一輪，
　他不曾自傷孤獨，
他蘊含着滿腔的熱誠

前　　茅

要把萬彙甦活。

轟轟的龍車之音

　已離黎明不遠，

太陽喲，我們的師喲，

　我們在赤光之中相見！

(5,XII,1923)

[31]

太陽沒了

——聞列寧死耗作此——

啊！太陽沒了——在那西北的天郊，
瀰天的瞑雲也暫泯却了牠的嘲笑，
消沉的萬象都像隨以消亡，
四海的潮音都在同聲哀悼。

他灼灼的光波勢欲盪盡天魔，
他滾滾的熱流勢欲決破冰琛，
無衣無業的窮困人們
受了他從天盜來的炎炎聖火。

聖火炎炎築就了祝融的宮殿，
猛烈的妖雰瘴霧却是漫野瀰天；

前　　茅

好像黃梅時分，時陰時晴，
堅苦的太陽喲，你終竟不能脫險！

啊，黑暗的魔怪會再來夜裏跳梁，
眼前的坦途會見些森森的鬼影來往，
已着火的炭塊又會埋在死灰，
未倒坍的冰山又會負勢競上。

雖有羣星麗天，力太微遠。
雖有月魄淸媚，只伴幽人睡眠。
啊，我盼那散漫的羣星淋成淚雨，
我盼那倡優般的玉兔化作杜鵑！……

"朋友喲朋友，沒用徒作杞憂！"

〔33〕

前　　茅

我的耳邊突然有獸雷的聲音怒吼:
"你我都是逐暗淨魔的太陽,
各柄着赤誠的炬火,前走!前走!"

(25,I,1924)

[34]

前進曲

I.

前進！前進！前進！
同胞們在愁城中，
惡魔們在愁城外：
滔滔的牛鬼蛇神
四面攻着愁城在。
前進！前進！前進！
驅除盡那些魔羣，
把人們救出苦境！

II.

前進！前進！前進！
點起我們的炬火，

〔35〕

鳴起我們的金鉦，
舉起我們的鐵槌，
撐起我們的紅旗，
前進！前進！前進！
我們雖是枝孤軍，
我們有無數後盾。

III.

前進！前進！前進！
胸中有熱血沸騰，
眼中有熱淚滴淋，
我們前途的行軍
不是薔薇的路徑。
前進！前進！前進！

揮起我們的鐮刀，
開除路上的荒荊！

IV.

前進！前進！前進！
世上一切的工農，
我們有戈矛相贈。
把我們滿腔熱血
染紅這一片愁城！
前進！前進！前進！
縮短我們的痛苦，
使新的世界誕生！

(28,VIII,1923於上海)

暴虎辭

這首詩是民十夏間的舊詩。

這在形式上和內容與前面諸作均不相侔類，

但因為他的精神是反抗旣成的權威；

我所以不能割愛，也把他收在這兒。

(11,I,1928)

暴虎辭

I.

地在咸陽，

時當漢武。

漢武遊獵甘泉宮，

獵罷登樓看猛虎。

猛虎在棬中

成羣相聚處：

或耽耽而仰視，

或低頭而徐步，

或跳，或躍；

或忧，或憮；

樓頭觀者人如堵。

美女曳長裾，

(39)

壯士挾弓弩。
東樓鳴鉦，西樓鼓，
南樓北望太華山，
羣芳之中坐雄主。

II.

漢主一世雄，
布令揮長弓：
命女投狐兔，
命士投羆熊。
投未及地，
羣虎騰空；
巨掌掀拏，
長舌翻紅。

前　　茅

毛血成雨，

咆哮生風。

人聲謞謞，

金鼓隆隆。

漢皇心喜，

高唱從容：

"昔有李廣兮，

見石草中，

疑是猛虎兮

射石沒鏃。

今之士兮

誰可與同？"

III，

〔41〕

歌聲方罷，
一人出座，
乃是侍中貴人，
發語覼縷：
“粤有李廣之孫，
其名爲禹，
昔飲宮中
自逞雄武。
怒駡宮中之人，
營營如青蠅，
無恥不如鼠；
父遭啗箭祖自殘
都是權貴之人中作蠱。
自稱有力能暴虎，

茅　　茅

先讎沒報心欲腐。
今日之會禹在乎？
何不令其自獻武威快天覩？”

IV.

漢主聞之呼曰禹！
禹在東樓應聲起。
帝命左右縛執之，
懸入圈中使刺虎。

V.

禹默不一言，
躬自就繩縛；
倒懸在空中，

〔43〕

人虎均胆肅。
帝憐禹是名將之子孫，
不忍見其充虎腹。
懸未及地召止之，
令人引繩不令落。
禹在空中始放呼，
呼聲如雷震華屋：
"男兒雖死不願受人憐，
虎不如人之暴殄！
與其混跡在人中，
吾寧葬身入虎圈。"
拔劍斫繩繩立斷，
觀者驚呼天地撼。
禹身立落羣虎間，

前　　茅

羣虎震懾不動彈。
揮劍方將四亂斫，
一羣勇士救止之，
幸得不爲羣虎噉。

VI.

羣擁禹至漢主前，
惟聞讚嘆之聲喧。
有曰:“不媿李家兒”，
有曰:“可爲大將事朔邊”。
有曰:“普天之下一人耳”，
有曰:“歷史之中罕曾見”。
上曰:“壯士能飲乎?
願賜美酒斗十千”。

〔45〕

此時李禹揚眉怒目按劍在兩手，

大呼："窮兵黷武漢天子！

汝是天下萬世仇！

生民何罪復何尤，

被汝趨去寘荒陬？

我祖死於是，

我父死於讎。

我弟李陵失救陷匈奴，

為何母子遭虔劉？

我恨不欲飲汝血而漆汝頭，

豈止區區酒幾斗！"

VII.

嗟乎，勇士竟此下吏死，

前　茅

令人至今思慕之。
余慕許雷"手套吟"，
揮筆而成"暴虎辭"。

(?,VIII,1921,於日本)

〔47〕

哀時古調

哀時古調九首

1.

阮嗣宗，

哭途窮。

劉伶欲醉酒，

揮袖兩清風。

嵇康對日撫鳴琴，

腹中飢火正熊熊，

一束，二冬，

人賤不如銅。

2.

一椀飯，

五羊皮，

養活淮陰侯，
買死百里奚。
伯夷叔齊首陽山
不合時宜該活死。
四支，五徵，
秋高馬正肥。

3.

羡殺人，
黃金印，
順口說合縱，
橫目說連衡。
富貴在天生有命，
一朝屍被五牛崩。
酒醴，三牲，

準備哭蘇秦。

4.

唐藩鎮，

勢絕倫，

當年炙手熱，

今日幾人存？

河朔淮西一霄盡，

滿池鵝鴨可成兵，

虎口，當心，

驪龍有逆鱗。

5.

白居易，

琵琶行，

徐娘已老大
猶自嫁商人。
懷抱琵琶隣舟去，
贏得青衫淚滿襟。
五鼓，三更，
關公走麥城。

6.

孫悟空，
齊天聖。
十萬八千里
只消一翻身。
才聞專使拜曹公，
又見三桂哭清庭。
洪範，五行，

相尅還相生。

7.

楚狂人

哭孔丘。

七十二大賢，

三千小獼猴，

包辦中華教育界，

老莊無分吃猪頭。

三跪，九叩，

綠木把魚求。

8.

博浪槌，

何處有？

荊軻今已死，
狗屠不可留。
陳涉吳廣起田間，
農民之中今在否？
一筆，全勾，
醉死夢生儔！

9.

天風吹，
海浪流。
滿懷悲憤事，
聊以寄箜篌。
神州原來是赤縣，
會看赤幟滿神州。
朋友，朋友，

前　　茅

努力事耕耰！

(19,IX,1922)

[55]

恢復

郭沫若 著

創造社出版部（上海）一九二八年三月二十五日初版。原書五十開。

恢復
創造社出版部

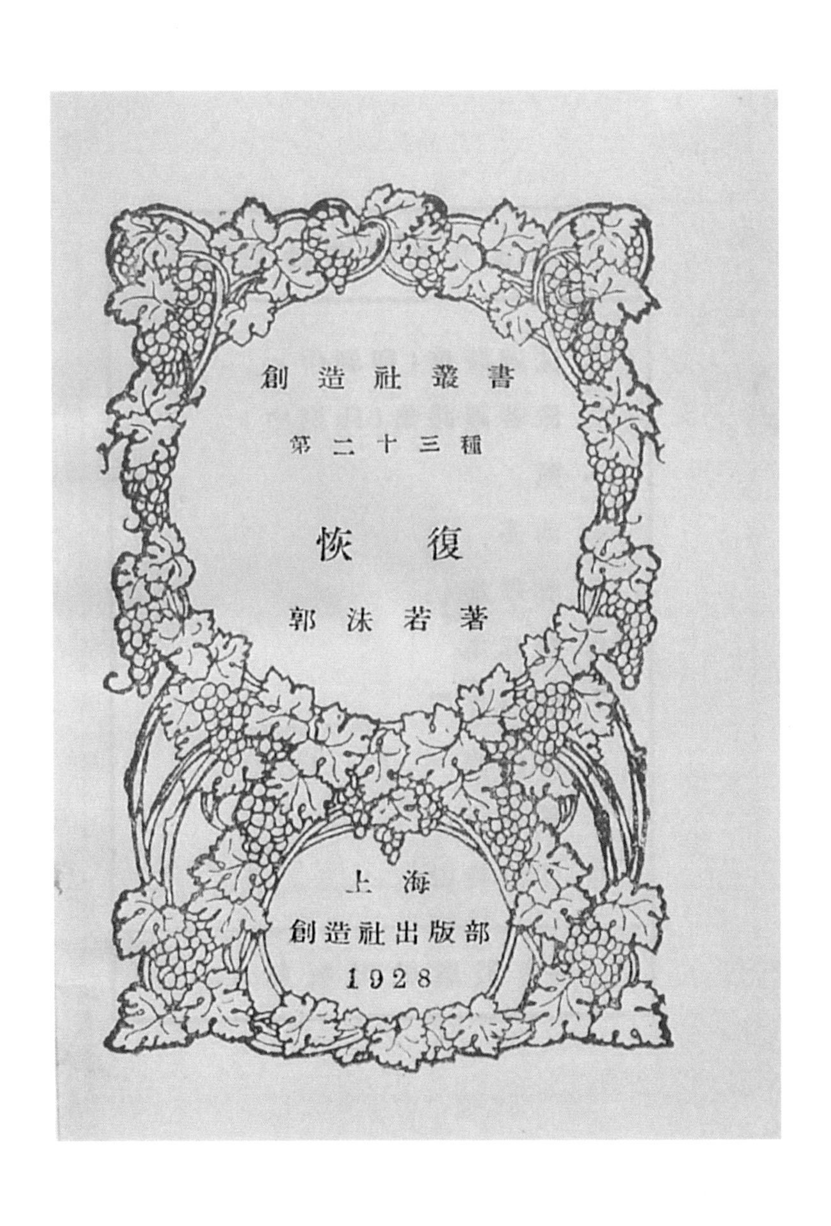
創造社叢書

第二十三種

恢復

郭沫若著

上海

創造社出版部

1928

恢　復

1928 2 1 付印
1928 3 25 初版
1——2000冊

每冊實價大洋三角

目　　次

RECONVALESCENCE ……………1

逝箇……………………………………………5

"關雎"的翻譯 ……………………………8

HESTERIE…………………………………10

悼亡友………………………………………12

黑夜和我對話………………………………16

歸來…………………………………………19

得了安息……………………………………24

詩的宣言……………………………………27

對月…………………………………………29

我想起了陳涉吳廣…………………………31

黃河與揚子江對話(第二)…………………36

傳聞……………………………………………41
如火如荼的恐怖………………………………43
外國兵…………………………………………45
夢醒……………………………………………48
峨眉山上的白雲………………………………58
巫峽的回憶……………………………………61
詩與睡眠爭夕…………………………………64
電車復了工……………………………………68
我看見那資本殺人……………………………70
金錢的魔力……………………………………72
血的幻影………………………………………74
戰取……………………………………………77

RECONVALESCENCE

我已經病了三個禮拜，
我這三個禮拜都是沒有睡眠；
但我的腦筋是這樣的清醒，
我一點也不憂慮，也不熬煎。

當我在那危篤的時候，
我已曾祈求過那和藹的死神。
我祈求他迅速的迅速的前來，
前來結束我這痛苦的生命。

我已經把我的遺囑告訴了我的女人，
我的女人也已準備着把我化成骨灰；
但是，那死神終竟是避易了，

〔1〕

恢　復

他沒有和我覿面，我又生回。

當我在那危篤的時候，
我曾希望過有把犀利的匕首，
或者是一管靈巧的手槍，
那我的靈魂也曾早賦天遊。

但我現在是已經復活了，復活了，
復活在這混沌的但有希望的人寰。
我實在已超過了不少的死線，
我將以天地爲槨，人類爲棺。

當我在那危篤的時候，
我還大聲疾呼地演過許多說辭。

恢　復

我說，我要以徹底的態度洒尿。
我說，我要以意志的力量拉屎。

這些囈語不消說是粗俗得可笑，
但我總覺得也包含着眞理不少：
我們是除惡務盡，然而總是因循；
我們對於敵人，應得如拉屎洒尿！

革命家的榜樣就在這粗俗的話中，
我們要保持態度的徹底，意志的通紅，
我們的頭臚就算被人鎯下又有甚麼？
世間上決沒有兩面都可套弦的彎弓。

我現在是已經復活了，復活了，

〔3〕

蘇　復

復活在這混沌的但有希望的人寰。
我雖然三個禮拜都沒有睡眠，
但我一點也不憂慮，也不熬煎。

(5,I,1928)

述　懷

我幾曾說過我要把我的花瓣吹着飄飛?
我幾曾在獄中和你對話過十年?
但你說我已經老了,不會再有詩了;
我已經成爲了枯澗,不會再有流泉。

我不相信你這話,我是不相信的;
我要保持着我的花瓣永遠新鮮。
我的歌喉要同春天的小鳥一樣,
乘着和風,我要在晴空中淸囀。

我的鬢髮其實也並未皤然,
卽使是皤然,我也不會感覺得我老:

〔5〕

恢　復

因爲我有這不涸的，永遠不涸的流泉，
在我深深的，深深的心澗之中繚繞。

我的歌或許要變換情調，不必常是春天，
或許會如像肅殺的秋風吹掃殘敗，
或許會從那赤道的流沙之中吹來烈火，
或許會從西比利亞的荒原裏吹來冰塊。

我今後的半生我相信沒有甚麼阻撓，
我要一任我的情性放漫地高歌。
我要歌出我們頹廢的邦家，衰殘的民族，
我要歌出我們新興的無產階級的生活。

朋友，你不知道我，有時候連我也不知道，

恢　　復

在白晝的光中有時候我替我自己煩惱；

但在這深不可測的夜中，這久病的床上，

我的深心，我的深心，爲我啓揭了他的面罩。

(5,I,1928)

〔7〕

“關雎”的翻譯

夜怕已經深了罷?深了罷?深了罷?
那淒切的水鳥兒還在河中的沙洲上哀叫。
在那兒我遇見過一位美好的少女呀,
她,她使我無晝無夜地日日爲她顛倒。

我遇見她在那洲邊上采集荇菜,
那青青的荇菜參差不齊地長在洲邊。
她或左或右地弓起背兒采了。
她采了,采了那荇菜的嫩巔。

她采了,又把那荇菜來在河水中冲洗,
在那涓潔的河水中她洗得眞是如意。

恢　　復

我很想把我的琴和我的瑟爲她彈奏呀，
或者是搖我的鐘聹我的鼓請他跳舞。

我自從遇見她，我便想她，想她，想她呀，
沙洲上我不知道一天要去多少囘；
但我遇見她一次後，便再也不能見她了，
我不知道她住在何處，她眞是有去無歸。

啊！這夜深眞是長呀，長呀，長呀，
我翻來覆去地再也不能睡熟。
河中的水鳥喲，你仍然在不斷地哀叫，
你是不是也在追求愛人，和我一樣孤獨？

(5,1,1923)

〔9〕

HYSTERIE

姑娘我不能愛你，
請你不要焦燥。
我就愛上了別的姑娘，
請你也不要懊惱。

你爲甚麼要造謠言，
說我和妻兒已成歧路？
說我是驕傲異常，
我所有的愛人無數？

我縱有無數的愛人，
這於你有甚麼緊要？

恢　　復

革命也是我的愛人，
你難道也要和她計較？

我與你並沒有甚麽怨尤，
我只是不能愛你。
你何苦定要和我尋仇？
你眞是害了歇司迭里！

(5,I,1928)

[11]

懷亡友

朋友，你那赤銅色的面孔好像還在面前，
你那微微口吃的聲音好像還在談天；
但你的頭顱是老早被人鋸了呀，
一直到現在還不知道你被拋在那邊。

我們的相識雖然還不上半年，
我們的親密實際上如同兄弟一般。
你有一個赤誠的性格，有時不免迂見，
但別人說你的計謀是十分周全。

那時候希望還籠罩着我們的大陸，
我們同居在嶺南的革命的策源地點。

〔12〕

恢　　復

那時候是你勸我參加實際的行動，
我便興高彩烈地隨着大軍北伐中原。

那時候你留守後方，在我們出發的前天，
你在一座餐館裏面大開餞別的歡筵。
那時候你贈我一個徽號叫做"戎馬書生"，
我眞是感覺得十分的誇耀，十分的榮顯。

我們別後也不過僅僅半年，
革命的潮流漲到了帕米爾高原的頂點。
我們已經掃盪了中原的半壁，
長江流域的租界也快要次第收還。

那時候我們大家都笑臉開顏，

(13)

恢　　復

全世界的被壓迫者都在爲我們喜歡；
但不幸我們的革命在中途生了危險，
我們血染了的大旗忽然間白了半邊。

那時候從後方逃到前方，你想直趨武漢，
但不料就在這春申江上你便遭了摧殘。
你的生命不消說還留存在天地之間，
但我們的革命勢力呀已經是五零四散。

不過我們現在也沒有一個人抱着悲觀，
我們相信我們是操着最後的勝算。
我們所悲的是缺少了你這樣熱誠的信徒，
還有我們許多犧牲了的勇敢的同伴。

恢　　復

啊，朋友，你的頭臚是老早被人鋸了，
一直到現在不知道你被抛在了那邊。
不過你那口吃的聲音好像還在說笑，
你那赤銅色的面孔好像還在面前。

(5,I,1923)

〔15〕

黑夜和我對話

"我把地球擁抱着了，我是黑夜。"
"你是黑夜，其實你只抱着半邊。"
"抱着半邊？唉，我倒要問你：
那個愛人和愛人擁抱能夠抱全？"

"你抱着了又有甚麼？我也問你。"
"我可以使世上的人少做些罪惡。"
"罪惡！都是在你的羽翼之下長成；
你的話十分靠不住呀，你要曉得！"

"不過我在這時候可以使世人安眠。"
"哼！那做夜工的工人我却不敢保險——

恢　復

我勸你不要再誇講你的功德了罷，
我在這兒睜着眼睛睡了二十四天。

"你的朋友是那鋼絲床上的溫柔繾綣，
你的職務是守護那燈光燦爛的華筵，
那兒有跳舞，有音樂，有無數高華的裝飾，
那兒有Curaçao，vermout，brandy 的酒泉。

"你的面孔也好像沾藏着了無上的榮典，
你同非洲的黑奴，印度的巡捕站立門邊。
你那管貧苦的工農們睡的是甚麼地點，
他們睡在木板上，土坑上，還有惡夢盤旋？

"你資本化了的黑奴，你印度巡捕的鬼臉！

[17]

去罷，去罷，去罷，你不要在這兒和我糾纏

西半球的資本家們在歡迎你，歡迎你了，

我不願見你的尊容，只好閉着眼睛不看。”

(6,1,1928)

歸　來

冷風吹着我的顏面，
我睡了二十四日之後才走出院來。
朋友扶着我回到了我的寓中，
我的心頭眞是十分的愉快。

我四脚四手地爬上了樓梯，
我的樓房是收拾得異常整潔。
這是我的妻，她的愛情！
我的生命是她救起了的。

當我還睡在病院裏的時候，
她每日要來看我兩次。

[19]

恢　　復

其實她的病比我還要深沉，
她得的是慢性 Nephritis!

她每次來時都不是空手，
不是美好的鮮花，便是可口的菓品；
她早上來時要坐到中午，
她午後來時要坐到夜深。

聽說我在危篤時駡詈過她，
還數過她無數的寃枉的罪名。
她來時有時竟不敢和我見面，
只坐在偏僻處，望着我傷神。

啊！我如今是清醒了，懺悔了：

恢　復

你是我永遠的唯一的愛人！
我所以要趕快的退出院來，
我是不願你再爲我奔波勞頓。

孩子們在樓上表示歡迎，
被他們的母親喝住，吞了聲音。
因爲我的身子是失掉了自由，
她怕有偵探藏在周圍附近。

我上了樓又倒睡在床上，
孩子們都覺得異常歡喜：
所有的玩具都搬到了床前，
遊戲在電燈光下帶些矜持。

〔21〕

恢　　復

噯，我看着他們覺得要淌眼淚：
他們四個之中是或瘦或肥，
他們都不曾充分地受我愛撫，
只有我的老友，淸貧閑下，時刻相隨。

他們飄泊，飄泊，年年都飄泊不定，
大的兩個已老早失掉了學齡，
我看見他們雖然在歡喜着遊戲，
但我想到這些情事，不免暗暗焦心。

我也曾決定志向不再離開他們，
想聊盡我做父親的一番責任；
但是社會的引力終竟不免太大，
我總覺得我是不能不爲羣衆犧牲。

恢　　復

啊！一切，一切都已輾碎了，

我們的戀愛，我們的家庭。

你在一切，一切的身上輾過，

你這黃金的魔鬼，你的車輪！

(6,I,1928)

[23]

得了安息

窗外的天色已經蔚藍了，
現在是四點過鐘的時辰。
我在病院裏怎麼也不能安眠，
我今晚上眞是睡得十分安穩。

自從我吃了晚粥以後，
到現在怕睡了八個鐘頭？
我的精神是這樣的新鮮
如像那窗外的蔚藍的宇宙。

我老早就想要退出院來，
朋友們說我的家異常危險。

恢　　復

但我睡在我危險的家中，
反轉得着了這樣的安眠！

床前的 Tatami 上睡着安那，
我伸出一隻手去把她探試。
她是老早地老早地醒轉來了；
我說：我是睡得十分愜意。

她抬起半身來和我親了一下，
她叫我快把手縮進被裏。
她說："你不要傷了風，很冷，
這將要天亮的時候的空氣"。

啊，這不是藥品所能贈與我的，

〔25〕

恢　復

不是 morphin, 不是 veronal;
這是愛的聯繫,骨肉的聯繫,
這是宇宙中的自然的樞機!

(6,I,1928)

(註)
日本人在房中地板上所面
之草席名曰Tatami;
日常簦坐於其上。

詩的宣言

你看，我是這樣的眞率，
我是一點也沒有甚麼修飾。
我愛的是那些工人和農人，
他們赤着脚，裸着身體。

我也赤着脚，裸着身體，
我仇視那富有的階級：
他們美，他們愛美，
他們的一身：綾羅，香水，寶石。

我是詩，這便是我的宣言，
我的階級是屬於無產；

〔27〕

恢　復

不過我覺得還輭弱了一點，
我應該還要經過爆裂一番。

這怕是我才恢復不久，
我的氣魄總沒有以前雄厚。
我希望我總有一天，
我要如暴風一樣怒吼。

(7,I,1928)

對　月

月亮，你照在我的窗前，
我是好久沒有和你見面。
你那蒼白色的面孔
和我相別好像有好幾十年。

我的眼中已經沒有自然，
我老早就感覺着我的變遷；
但你那銀灰色的世界，
終竟是和我沒緣。

我沒有你那超然的情緒，
我沒有你那幽靜的心絃。

〔29〕

恢　復

我所希望的是狂暴的音樂
猶如鞺鞳的鼙鼓聲浪喧天。

或者如那浩茫的大海
轟隆隆地鼓浪而前，
打在那萬仞的岩頭，
撼地的聲音隨水花飛濺。

啊，我的心中是這樣的淡漠，
任有怎樣的境地也難使我歡呼。
你除非照着幾百萬的農人
在凱旋的歌中跳舞！

(7, I, 1928)

我想起了陳涉吳廣

I.

我想起了幾千年前的陳涉，
我想起了幾千年前的吳廣，
他們是農民暴動的前驅，
他們由農民出身，稱過帝王。

他們受不過秦始皇帝的壓迫，
在田間相約："富貴毋得相忘！"
那時候還有兇猛的外患，匈奴，
要擴奪秦朝的天下侵陵北方。

〔31〕

㑒　　役

秦始皇帝便要築下萬里長城，
使天下的農夫都爲謠役奔忙。
他們便斬木爲兵，揭竿爲旗，
叢祠的一夜篝火彌天炎上。

就這樣驚動了池中的鵝鴨，
就這樣驚散了秦朝的兵將；
就這樣他們的暴動便告了成功，
就這樣秦朝的江山便告了滅亡。

II.

中國有四萬萬的人口，
農民佔百分之八十以上。
這三萬二千萬以上的農民，

恢　復

他們的生活如今怎樣?

朋友，我們現在請先說北方;
北方的農民實在是可憐萬狀!
他們飢不得食，寒不得衣，
有時候整村整落的逃荒。

他們的住居是些敗瓦頹牆，
他們的兒女就和豬狗一樣;
他們吃的呢是草根和樹皮，
他們穿的呢是襤褸的衣裳。

南方呢?南方雖然是人意差強，
但是農村的凋敝觸目神傷。

〔33〕

長江以南的省區我幾乎走遍,
每個村落裏,尋不出十年新造的民房!

III.

農民生活爲甚麽慘到了這般模樣?
朋友喲,這是我們中國出了無數的始皇!
還有那外來的帝國主義者的壓迫
比秦時的匈奴還要有五百萬倍的囂張!

他們的砲艦政策在我們的頭上跳梁,
他們的經濟侵略吸盡了我們的血漿。
他們豢養的走狗:軍閥,買辦,地主,官僚,
這便是我們中國的無數新出的始皇。

恢　　復

可我們的農民在三萬二千萬人以上，
困獸猶鬥，我不相信我們便全無主張。
我不相信我們便永遠地不能起來，
我們之中便永遠地產生不出陳涉吳廣！

更何況我們還有五百萬的產業工人，
他們會給我們以戰鬥的方法，利砲，飛槍。
在工人領導之下的農民暴動喲，朋友，
還是我們的救星，改造全世界的力量！

(7,I,1928)

[35]

黄河與揚子江對話

"從前我們談過一次話，但已經隔了好久，
我的老大哥，你在北方究竟覺得怎樣?"
"沒有甚麼喲，我只是在我的道路上竄走，
我沒有閑心腸再去管這些老虎和羔羊。"

"我在南方與從前却是大不相同，
我不知道經過了多少朝代，多少英雄！
我的周圍也不知道殺死了多少人類，
我的水被他們的血液已經染得更紅。"

"說到那一層，或者我也是更染紅了一點，
不過北方的屠殺總怕還趕不上南邊?

恢　　復

北方的情事差不多一切都還是舊套，
就是殺人的手腕也沒有南方的新鮮。"

"還有，我的身上不知道載着好多外國兵艦，
我的身上也不知道載着好多外國商船，
她們都是橫衝直撞，眞眞是肆無忌憚，
她們從黃海便可以一直地跑進巫山。"

"唉，我恨我一身的沙泥總不能把黃海充滿！
我流了幾千萬年的沙泥總不能把黃海塡乾！
我假如把牠塡乾，變成了一片茫茫的大翰，
或者也可以少見些外國兵艦和外國商船？"

"嗳呀，老大哥，其實你那麽依然還是一樣：

〔37〕

恢　　復

你使大陸增長，僅是替他們開拓殖民地方！
這位置在溫帶區域的中國實在是個寶藏，
因爲這樣的原故，所以才成了搾取的屠場。"

"我恨那些中國的人民就和死豬相仿，
他們是已經忘記了他們先祖的榮光。
他們爲甚麼總要那樣地自相屠殺？
爲甚麼不一致的抵禦外侮，立志圖強？"

"老哥，你這樣的話是老早成爲了旣往，
你這樣的話倒有點像國家主義者的主張。
其實他們是受着重重的經濟的束縛，
所以便起了分化：不做走狗，便做猪羊。"

恢　　復

"到底有甚麼方法可以挽回他們的命運?
有甚麼方法可以幸福他們的人羣?
難道就在那重重的經濟壓迫之下,
他們是永遠當着猪狗,永遠不能翻身?"

"他們應該與全世界的弱小民族和親,
他們應該與全世界的無產階級聯盟,
但這聯盟的主體,和親的主體,絕對不能
屬諸新舊軍閥,更不能誇稱着甚麼'全民'!

"他們有三萬二千萬以上的貧苦農民,
他們有五百萬衆的新興的產業工人,
這是一個最猛烈,最危險,最龐大的炸彈,
牠的爆發會使整個的世界平地分崩!"

〔39〕

恢　　復

"朋友，你這樣說來我覺得還很有希望，
我也可以心平氣和地流着在那北方。"
"不消說他們也還要飽受無數的痛苦，
但在這痛苦之中也就含孕着新的胎囊。"

(7,I,1928)

傳　聞

租界與華界都是非常的戒嚴，
聽說上海的工人們快要暴動，
聽說南京方面也快要起戰爭，
又是太陽與太陽的甚麼內訌。

如今的太陽實在也未免多了，
怕不只有九個日頭出在地上。
但牠們一點也沒有甚麼熱力，
牠們的光輝也沒有甚麼發揚。

誰管你們幹嗎?你們儘去爭鬧!
我們有的是我們的鐵槌鐮刀。

〔41〕

恢　復

我們有一天翻了身的時候呀，
無論你甚麼個太陽都要打倒！

(7,I,1928)

如火如荼的恐怖

我們的眼前一望都是白色，
但我們是並不覺得恐怖。
我們已經是視死如歸，
我們大踏步地走着我們的大路。

要殺你們就儘管殺罷！
你們殺了一個要增加百個：
我們的身上都有孫悟空的毫毛，
一吹便變成無數的新我。

我們的眼前一望都是白色，
但我們是並不覺得恐怖：

〔43〕

恢　　復

我們殺了一個要儆惕百個，
我們的恐怖是如火如荼！

(7,I,1928)

外 國 兵

我看你的面孔分明是一個人，
但別人却把你當成機械用了。
你從你的故國送到了我們這兒，
你的使命是來屠殺我們的同胞。

你已經成了一個殺人的機械，
你和你手中的槍砲不能離開。
你是那槍砲身上的一個機關，
或者那鎗砲是你的一個肢骸。

你有時還在市街上酗酒暴行，
因爲你是鎗械，誰也不敢抗爭；

〔45〕

恢復

但其實你和我們一樣的可憐，
你和我們一樣是時代的犧牲。

你僅僅是資本社會的一個爪牙，
你何會在捍衛着你們的國家？
你的生命被些少的薪餉買來，
你露天地立着替人守護銀匠。

我們不消說是被人搾取的物資，
但你呢，又何嘗不是被人搾取？
你的生命在那兒一寸一寸地短縮，
你睡在天幕裏面也應該深思。

你應該知道要那個才是你的朋友，

恢 復

你應該知道要那個才是你的對頭。
那把你當成機械用了的，你要知道，
那是你本國的資產階級，你的寇仇。

朋友，我勸你掉轉你手中的鎗身，
準對你的寇仇，結果那黃金的生命。
你不要永遠只是做一個機械，
你要堂堂正正地做一個眞正的人！

(8,I,1928)

〔47〕

夢　醒

I.

我昨晚夢見了三姐四姐，
夢見在故鄉和她們共飯。
此外還有不少的女眷，
她們的面貌都和從前一般。

四姐問我：你受過楚刑？
我說我不知道。
說你受了傷還能走路？
我說我不知道。

II.

我忽然從夢裏醒來，

恢　　復

我現在記起了那楚刑一幕。
那是去年的八月三號，
我從九江趕往洪都。

那時候八一革命已經起了，
九江和南昌成了兩個對壘。
九江的軍隊開到了德安，
德安以南便是我們的軍隊。

八月三號的晚上
我連夜乘着搖車：
因爲德安以南的鐵路
還毀壞了幾段鐵軌。

〔49〕

恢　　復

我連夜趕到了德安，
那時候還未天明。
在那兒我便被人阻住了，
他們要點驗後才准放行。

好容易通過了德安，
那已經是八月初四；
我們以爲此去南昌，
一路上可以平安無事。

誰知道剛好走了一站，
便遇着南來的潰兵。
那是八一革命的時候，
被我們繳了械的敵人。

恢　　復

他們佔領了一列火車，
準備着向九江開回；
人數怕在二三百以上，
都是些渴了鎗械的魔鬼。

他們看見了我們的手鎗，
我們便遭了他們的劫搶。
我還遭了他們的毒打，
幾乎在那拳脚之下死亡。

我們同行的一共四人，
另外還有一個護兵。
挨打的便有三個，

〔51〕

護兵還遭了敵人生擒。

我們算逃脫了性命，
很狼狽地又坐上了搖車。
我們匆匆地趕向南昌，
心中只有喜歡沒有後悔。——

怕就是這件往事
激刺了我的腦筋。
這便投射到我的夢中，
投射到我四姐的嘴唇。

III

我夢見了我的姐姐，

恢　　復

令我回想到我幼時的家庭。
我的家在那峨眉山下，
我們的同胞是男女八人。

八人的同胞之中
男女是平均四個，
我有兩位姐姐，
我有兩位哥哥。

四姐是我最愛的姐姐，
她嫁在隣村的世家；
她丈夫染了一身的病毒，
這便摧殘了我四姐的鮮花。

〔53〕

恢　　復

我三姐是一位忠厚的女性，
她丈夫用木柴把她毒打；
她一身都打得是傷痕，
但她一句也不敢回家說話。

還有我可憐的六妹，
她命運就和四姐一樣；
她十五歲便出了閨閣，
一樣的是夫也不良。

我所不知道的只有七妹，
我不知道她嫁後的情形；
聽說她已經有了兒女，
已經是幾個兒女的母親。

恢　　復

我們的姐妹四個，
有三個便是婚姻的犧牲，
再把我也加添上去，
我們眞正是飽受了楚刑！

但我們受了傷還是要走路，
我現在是脫離了痛苦。
只可憐我那姊妹三人，
她們的不幸眞是無辜！

最可惜的是我的四姐：
她的聰明眞是天縱。
她沒讀書便有中學的程度，

〔55〕

飫　　復

她的刺繡也異常精工。

四姐喲，我們除夢中不能相見，
可惜你的聰明埋沒鄉間。
你現在是四十多歲的寡婦，
我們的相別已經十有五年。

我是永遠不願回鄉，
你怕也永遠不能出外。
我們姐弟的當中，我們的思想，
不消說是隔了好幾個時代。

但是喲，我親愛的姐姐，
我對於你的愛慕是絲毫未改，

恢　復

就給你現於我的夢中
還是十五年前一樣的度態。

(8,I,1928)

峨眉山上的白雪

峨眉山上的白雪
怕已蒙上了那最高的山巔?
那橫在山腰的宿霧
怕還是和從前一樣的蜿蜒?

我最愛的是在月光之下
那巍峨的山嶽好像要化成紫煙;
還有那一望的迷離的銀靄
籠罩着我那寂靜的家園。

啊,那便是我的故鄉,
我別後已經十有五年。

恢　復

我想，那山下的大渡河的流水
怕還是滔滔不盡地如像我的詩篇。

大渡河的流水永遠是浩浩蕩蕩，
皜皜的月輪從那東岸昇上。
東岸是一帶常綠的淺山，
沒有西岸的峨眉那樣雄壯。

那渺茫的大渡河的河岸
也是我少年時愛遊的地方；
我站在月光下的亂石之中，
我要感受着一片偉大的蒼涼。

啊，那便是我的故鄉，

〔59〕

恢　　復

我別後已經十有五年。
我想，在今晚的月光之下，
那巍峨的山嶽怕已化成了紫煙。

(8,I,1923)

巫峽的回憶

巫峽的奇景是我不能忘記的一樁。
十五年前我站在一隻小輪船上，
那時候有迷迷濛濛的含愁的烟雨
洒在那浩浩蕩蕩的如怒的長江。

我們的輪船剛好纔走進了瞿塘，
啊，那巫峽的兩岸眞正如削成一樣！
輪船的烟霧在那峽道之中蜿蜒，
我們是後面不見來程，前面不知去向。

峽中的情味我總覺得眞是渺茫，
好像幽閉在一個峭壁環繞的水鄉。

〔61〕

恹 復

我頭上的便帽竟從我腦後落下，
當我抬起頭望那白雲靉靆的山上。

輪船轉了一個灣，峽道又忽然開朗，
但依然是摩天的峯峭環繞四方。
依然是後面不見來程，前面不知去向，
雖然沒有催淚的猿聲，也覺得淒涼。

我覺得人生行路就和這樣相彷，
雖然所經過的道路，時刻，有短有長。
我們誰不是幽閉在一個狹隘的境地，
一瞬的曇花不知來自何從，去向何往？

那時候我還是只會做夢的一個少年，

恢　　復

我也想到了古代的詩人，他們的幻想：
有甚麽爲雲爲雨的神女要和國王幽會，
我總覺得不適於這樣雄渾離奇的地方。

巫峽的奇景我只能記得個糢糊影像，
我當年的眼睛實在還是一個明盲。
有個機會時我很想再去詳密的探訪，
但我這不自由的身子不正想向國外逃亡？

啊，人生行路眞如這峽裏行船一樣，
今日不知明日的着落，前刻不知後刻的行藏。
我如今就好像囚在了峯峭環繞的峽中——
但我只要一出了夔門，我便要乘風破浪！

(8,I,1928)

〔63〕

詩和睡眠爭夕

〔睡　眠〕

現在是該我陪伴他的時候，

請你不要來和我爭寵。

我怕聽你那哀怨的聲音，

我怕見你那含愁的面孔。

〔詩〕

我的聲音爲甚麽總不粗暴？

我的面孔爲甚麽總是愴惱？

我爲甚麽總是夜深才來？

我實在是一點也不知道。

恢　　復

〔睡　眠〕
我對於你其實眞是寬和，
但這兒那能容下兩個？
不是我為你讓出空間，
便請你還是暫時讓我。

〔詩〕
我其實也不是有意倔強，
不過我來了，他總不放。
你為甚麼不使他神魂陶醉，
牽着他的手兒同入天鄉？

〔睡　眠〕
啊，我現在也沒有甚麼話說，

〔65〕

恢　　復

不過你看他是那樣的衰弱。
我爲他眞是費了不少的苦心，
他沒有我實在是不能恢復。

〔詩〕
我對於他也好像是個安慰：
你看，我來了，他便把眼睛閉起。
我也並不是要來擾亂他的清神，
不過他惺忪忪地終難使人過意。

〔睡　眠〕
好，那我就讓你去和他糾纏，
你是他的愛人，他自然慰安。
我老早就失掉了他的戀慕，

恢　　復

你要把他怎樣，我也不管。

〔詩〕

啊，你又何必要那樣懊惱，

我其實也在替他心焦。

他愛我或許是出於一時，

可惜我的面孔又並不美貌。

(9,I,1928)

〔67〕

電車復了工

罷了三禮拜的電車已經復了工，
我想那街上的人一定歡喜；
但在這長時期的罷工期間
工人方面不知道又起了多少悲劇。

我是能夠的時候，我很想去探訪，
但我不幸的依然病在床上；
我怕聽那傳來的轟隆隆的聲音，
那好像含着了無窮的怨望。

我不知道他們是佔了勝利，
抑或是完全絕望地受了屈服。

恢　　復

但我想在這樣高壓的政策之下，
我們也斷不會能夠得到甚麼滿足。

不過我們的工友們實在英勇，
在這樣寒冷的天氣竟公然罷工；
罷了並且還支持了三個禮拜，
我們工人們的勇氣實在豪雄。

我們有的是這樣勇敢的工人，
我們有的是這樣豪雄的勇氣，
不管目前的爭鬥是失敗，還是成功，
我們終會得到的是最後的勝利！

(9,I,1928)

〔69〕

我看見那資本殺人

我淸風兩袖而去，
我淸風兩袖而回，
只這點是我的慰安，
我的心頭是些兒無媿。

我病了要費金錢，
這是我失眠的原因。
我便睜着眼睛看見，
看見那資本殺人。

我住在病院的一天
要抵我家中的一個禮拜，

恢　　復

像這樣的薪桂米珠，
疾病也實在是不好亂害。

我所以竟存過自殺的念頭
免得我病癒後爲金錢痛苦。
但我一回念到我的妻兒五口，
我只好還是曳尾於泥塗。

(9,I,1928)

[71]

金錢的魔力

"我昨晚上又睡得非常滿足。"
"我十一點鐘的時候早就醒了。"
她的失眠症比我還要深沉，
我不知道我們要怎麼樣才好。

多產，貧困，苦了她十有三年，
她實在是受了不少的熬煎。
她從前是極肥壯的一個身體，
到現在只弄得個皮骨相連。

不消說這也是我自己的殘暴，
但是那金錢的魔力實在不小。

恢　　復

他已經吃遍了我們全世界的窮人，
我的一家看看也快要被他吃掉。

(10,I,1928)

[73]

血的幻影

昨天的這個世界好像快要崩潰，
今天的這個世界又回復到混沌以前；
我周圍是一片望不透的黑暗，
我好像坐在一座鐵牢的中間。

啊，我們的力量爲甚麼這樣衰微，
我們的民族爲甚麼總不覺醒？
像這樣猪狗不如的生涯也能夠泰然，
我實在也佩服我們同胞的堅忍！

我們昨日不是還駕御着一朵紅雲，
爲甚麼要讓牠化成一片血雨飛散？

恢　　復

我們便從那高不可測的火星天裏
墮落到這深不可測的黑暗之淵。

我看見無數的惡魔在我眼前跳舞，
無數的火焰天使化成血影模糊，
一望的血海血山我不知身在何處，
瞬時間我又感覺到這萬幻虛無。

綿綿的春雨，你洗不淨這大陸的腥腌，
我們的食糧便是這無窮的慢性的憂患。
一般是有理智有情感的方趾圓顱，
爲甚麼化成了一羣的猛獸這樣兇殘！

對於猛獸那裏還容得着片刻的容忍，

〔75〕

恢　　復

我們快舉起我們的炬火燒滅山林！
把我們一切的恥辱，因循，懷疑，苦悶，・・・
投向那火中，不然，我們是永遠不能再生！

(10,I,1928)

賑　　取

朋友，你以爲目前過於沉悶嗎？
這是暴風雨快要來時的先兆。
朋友，你以爲目前過於混沌嗎？
這是新社會快要誕生的前宵。

陣痛已經漸漸地達到了高潮，
母體已經不能支持，橫陳着了。
我已準備下一杯鮮紅的壽酒，
但這决不是萊因河畔的葡萄。

我已準備下一杯鮮紅的壽酒，
朋友，這是我的熱血充滿心頭。

〔77〕

醸出一片血雨腥風在這夜間，

戰取那新的太陽和新的宇宙！

(16,I,1928)

(終)